Un día en Salamanca

UN DÍA, UNA CIUDAD, UNA HISTORIA

ERNESTO RODRÍGUEZ

difusión

Colección **Un día en...**

Autor
Ernesto Rodríguez

Coordinación editorial
Pablo Garrido

Redacción
Carolina Domínguez

Diseño y maquetación
Oriol Frias

Traducción
BCN Traducciones

Revisión
Vega Llorente

© Ernesto Rodríguez y Difusión, Centro de Investigación y Publicaciones de Idiomas, Barcelona 2015

ISBN: 978-84-16273-51-5

Reimpresión: mayo 2016

Impreso en España por Comgrafic

C/ Trafalgar, 10, entlo. 1ª
08010 Barcelona
Tel. (+34) 93 268 03 00
Fax (+34) 93 310 33 40
editorial@difusion.com

www.difusion.com

Fotografías
Cubierta Thomas Roche/Gettyimages.com;
p. 4 Bignknell/Dreamstime.com, Kasipat/
Dreamstime.com, Nengloveyou/Dreamstime.
com, josevgluis/fotolia.com, Pablo Caridad/
Dreamstime.com, Ignasi Such/Dreamstime.
com; **p. 5** Oleksandr Delyk/Dreamstime.com,
Carpaumar/Dreamstime.com, Angellodeco/
Dreamstime.com, Alakoo/Dreamstime.
com, al62/fotolia.com, PhonlamaiPhoto/
istockphoto.com, Ironjohn/Dreamstime.com,
Katarzyna Bialasiewicz/Dreamstime.com;
p. 8 Agence Meurisse/commons.wikimedia.
org; **p. 9** Payanes8/commons.wikimedia.org;
p. 12 Ernesto Rodríguez; **p. 14** josevgluis/
fotolia.com; **p.15** commons.wikimedia.
org, Jarnogz/Dreamstime.com, commons.
wikimedia.org; **p. 16** Squaredpixels/
istockphoto.com, zodebala/istockphoto.com,
zest_marina/fotolia.com, Denys Sayenko/
Dreamstime.com, Empire331/Dreamstime.
com, Buurserstraat386/Dreamstime.com;
p. 17 canovass/fotolia.com, Mark Pierce/
Dreamstime.com, Aleph Snc/Dreamstime.
com, Andreykuzmin/Dreamstime.com,
Citalliance/Dreamstime.com, David San
Segundo/fotolia.com, Peter Scholz/
Dreamstime.com, Design56/Dreamstime.
com; **p. 21** Christian Bertrand/Dreamstime.
com; **p. 22** Tupungato/Dreamstime.com;
p. 25 Photodeti/Dreamstime.com; **p.
26** minnystock/Dreamstime.com; **p. 27**
Demidoff/Dreamstime.com, David Harding/
Dreamstime.com, dietwalther/fotolia.com;
p. 28 PhotoEuphoria/istockphoto.com,
Sevaljevic/istockphoto.com, mariontxa/
fotolia.com, Arturo Limon/Dreamstime.com;
p. 29 Pachai Leknettip/Dreamstime.com,
Narstudio/Dreamstime.com, Alvaro German
Vilela/Dreamstime.com, Ppy2010ha/
Dreamstime.com; **p. 30** Manuel Novo/
Dreamstime.com; **p. 34** TonyTaylorStock/
Dreamstime.com; **p. 38** Alfonsodetomas/
Dreamstime.com; **p. 39** Yulia Grigoryeva/
Dreamstime.com, Paul Brighton/Dreamstime.
com, karelnoppe/fotolia.com; **p. 40**
Gaudilab/Dreamstime.com, Igor Stevanovic/
Dreamstime.com, Milan Stojanovic/
istockphoto.com, Soubrette/istockphoto.
com; **p. 41** 2day929/Dreamstime.com, Sarah
Marchant/Dreamstime.com, Artistamibrown/
Dreamstime.com, Jimmy Lopes/Dreamstime.
com; **p. 42** Hartemink/Dreamstime.com;
p. 43 StockPhotoAstur/Dreamstime.com;
p. 48 Christian Bertrand/Dreamstime.com;
p. 49 Roberto Garcia/flickr.com, Christian
Bertrand/Dreamstime.com, Christian
Bertrand/Dreamstime.com

Un día en Salamanca

UN DÍA, UNA CIUDAD, UNA HISTORIA

ÍNDICE

¡Comparte tus fotos y vídeos de la ciudad!

#undiaensalamanca

Audios y soluciones de las actividades en
difusion.com/salamanca.zip

Diccionario visual Capítulo 1

Iglesia

Despertador

Queso manchego

Balcón

Piso

Libro

Ventana

Estantería

Jamón serrano

Galletas de chocolate

Biblioteca

Nevera

Diario

Leche

CAPÍTULO 1

Hace dos semanas que Chloé está en Salamanca. Vive sola en un pequeño piso en el centro de la ciudad, muy cerca de la plaza Mayor. Está estudiando lengua y literatura españolas, y ha elegido Salamanca porque uno de sus profesores en la Universidad de Lyon es de esa ciudad y siempre dice que Salamanca es la cuna[1] del español.

A Chloé le gusta mucho la ciudad: está llena de historia, de edificios[2] antiguos y calles peatonales[3], y tiene una de las universidades más bonitas de toda Europa. Pero se siente un poco sola… No comparte piso con nadie y todavía no tiene amigos y, por esa razón, no puede practicar español. Solo practica cuando habla por internet con alguno de sus amigos de la Universidad de Lyon. El problema es que todos ellos son franceses y no hablan español perfectamente. Chloé quiere conocer a gente de España para mejorar[4] su español, pero no sabe cómo hacerlo: es una chica tímida[5] e insegura[6].

Hoy es un viernes de principios de septiembre. El despertador suena, como cada día, a las ocho en punto de la mañana. Chloé se despierta, apaga el despertador y se levanta. Se pone las zapatillas[7] y sale de su habitación.

El salón y la cocina están en el mismo espacio. Puede ver por la ventana que el día está nublado. Probablemente va a llover. Chloé siente que ese día es un reflejo[8] de sus emociones. Siente que su corazón está triste como un día de lluvia. Abre la nevera y ve que solo hay una manzana, un paquete de jamón serrano (a Chloé le encanta el jamón serrano, piensa que es delicioso), un yogur de fresa y medio queso manchego, pero no hay leche. A Chloé le gusta desayunar café con leche, pero, finalmente, prepara un café solo, aunque no le gusta mucho.

Después de preparar el café, coge unas galletas de chocolate de un armario[9] y se sienta en el sofá. Sobre el sofá está el diario de color rojo en el que Chloé escribe cómo es su nueva vida en Salamanca. De momento, solo hay una página escrita, con fecha de hace dos semanas y en ella, unas pocas líneas:

¡Hola, diario!

Te voy a llamar Diario de Salamanca, ¿vale?, porque en tus páginas voy a escribir todo lo que voy a vivir en esta fantástica ciudad. Hoy es mi tercer día en mi casa (me he instalado[10] en un piso muy bonito). He mirado por la ventana y he visto que hay luna llena. En la plaza que tengo justo al lado de mi casa hay una pequeña iglesia, iluminada en tonos amarillos. Un grupo de chicos y chicas de mi edad están sentados en una terraza que está justo enfrente de la iglesia. Puedo oír sus voces, pero no entiendo casi nada.

Estoy un poco nerviosa, porque no hablo español muy bien y me da vergüenza conocer a gente si no hablo correctamente... Creo que mi español no es muy bueno.

Estos días no salgo mucho de casa, prefiero quedarme aquí. Pongo algo de música y bailo, ¡bailo mucho! Como en una discoteca, pero sola. La verdad es que no quiero bailar sola. Tengo que conocer a gente y, para eso, necesito mejorar mi español. Tengo que practicar mucho. Por eso voy a practicar contigo, ¿de acuerdo?

Estoy deseando volver a encontrarme contigo y contarte alguna aventura.

Chloé

Chloé lee esa página de su diario rojo. Solo ha escrito una página porque no ha tenido nada más que decir. Eso es muy triste, piensa ella. Enciende el ordenador y abre el Skype. Entre todos sus contactos ve a Eric conectado y decide saludarlo[11].

—*Bonjour !* —dice ella.

—*Bonjour !* —responde él— *Voulez-vous parler espagnol ?*

Miguel de Unamuno

Miguel de Unamuno es un filósofo y escritor de la Generación del 98. Desde 1891 hasta su muerte vive en la ciudad de Salamanca, donde es rector de la Universidad durante algunos años. Muere en 1936, poco tiempo después de empezar la Guerra Civil.

Eric le ha preguntado si quiere hablar en español porque sabe que Chloé necesita mejorar. Chloé sonríe y dice:

—*Oui...* ¡Sí!

Ella le pregunta cómo está y él responde que esta mañana hace un día maravilloso en Lyon, con mucho sol. Ella le dice que en Salamanca no hace sol y que tiene que ir a la biblioteca a buscar un libro para una asignatura[12].

—¿Qué libro? —pregunta Eric, con su acento francés.

—*Niebla*, de Miguel de Unamuno —responde Chloé.

—¡He leído ese libro! Me gusta mucho —dice Eric.

Eric le pregunta a Chloé si está mejorando su español y Chloé le dice que no puede practicarlo porque no conoce a nadie. Eric le dice que eso es normal porque hace pocos días que está en España, pero que pronto va a conocer gente para practicar el idioma.

—Eso espero —dice Chloé, en español.

—*Mais oui ! Bien sûr !* —responde Eric, en francés.

—En español se dice "seguro que sí" —dice Chloé.

Bibliotecas de Salamanca

En Salamanca hay más de veinte bibliotecas universitarias. La más antigua es la Biblioteca General Histórica, del s. XII, que actualmente se reserva para la investigación.

—Ya lo sé —responde Eric.

—¡Claro que lo sabes! —dice Chloé con una sonrisa— Bueno, me voy a la biblioteca, Eric. ¡Un beso! *Au revoir!*

—¡Chao! —responde Eric, moviendo la mano.

Chloé apaga el ordenador y sale al balcón. Observa la calle y las ventanas en el edificio de enfrente. Reconoce a dos personas en una de las ventanas: son un chico y una chica de su universidad. Seguro que son personas simpáticas con las que practicar español… ¡Chloé tiene que ser menos tímida!

Un poco más tarde Chloé llega a la biblioteca de la universidad y se acerca[13] al mostrador[14] para hablar con la bibliotecaria[15]. Se siente un poco nerviosa porque no está segura de si va a poder decir correctamente lo que quiere.

—Buenos días… —saluda Chloé.

—Buenos días. ¿En qué te puedo ayudar?

—Necesito un libro. Se llama *Niebla.* Es de Miguel de Unamuno.

—Pasillo[16] 3. Busca en la letra U.

—Muchas gracias.

Chloé mira a su alrededor. No sabe cómo encontrar el pasillo 3.

—¿Dónde está el pasillo 3?

—Mira, está por allí. Recto y luego a la derecha —dice la bibliotecaria, señalando en la dirección correcta.

—Muchas gracias —repite Chloé.

Cuando llega al lugar que le ha indicado la bibliotecaria, no encuentra el libro. Ve que está en una mesa que hay delante de las estanterías. No hay nadie en la mesa y decide cogerlo.

—¿Necesitas ese libro? —dice una voz detrás de ella.

Chloé se gira[17]. Una chica morena y bajita con los ojos azules está de pie delante de ella. Parece una chica simpática. En la mano lleva dos libros más, también de Miguel de Unamuno.

—¿Lo tienes tú? Perdona, perdona, es que no he visto a nadie con él y... Perdona —dice Chloé.

Chloé deja el libro de Unamuno otra vez en la mesa.

—Tranquila, tranquila. No lo necesito —dice, sonriendo, la chica morena—. Puedes llevártelo.

—¿Sí? ¿Seguro? —pregunta Chloé.

—¡Claro! —responde la chica.

Chloé coge de nuevo el libro y, con una gran sonrisa, le da las gracias a la chica. Son las nueve y media de la mañana de este viernes de septiembre y Chloé todavía no lo sabe, pero acaba de conocer a su primera amiga en Salamanca.

ACTIVIDADES
CAPÍTULO 1

1

Este es un plano del piso de Chloé en Salamanca. ¿Qué descripción es la mejor para él?

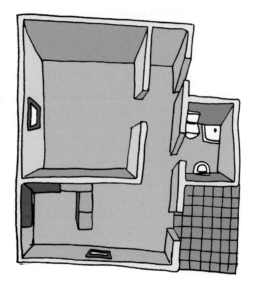

1. Apartamento de 50 m². Dos habitaciones. Salón comedor. Lavabo. Lavadero. Gran terraza. Todo exterior.

2. Estudio de 40 m². Una habitación grande. Salón comedor con cocina americana. Lavabo. Balcón.

3. Piso de 80 m². Tres habitaciones. Dos lavabos. Cocina totalmente equipada. Salón amplio. Balcón.

4. Estudio de 45 m². Una habitación y un despacho. Salón. Cocina. Lavabo amplio. Interior.

2

Decide en qué espacio del piso de Chloé pueden estar los elementos de la lista. ¿Se te ocurren más cosas que puede haber en cada espacio?

Cocina (C) | **Lavabo** (L) | **Dormitorio** (D) | **Salón comedor** (S)

☐ Lavadora
☐ Cama
☐ Sofá
☐ Sillón

☐ Televisión
☐ Despertador
☐ Mesita de noche
☐ Secador

☐ Horno
☐ Fregadero
☐ Mesa
☐ Sillas

☐ Lámpara
☐ Espejo
☐ Armario
☐ Teléfono fijo

3

Este es un chat de Chloé con un amigo francés que también estudia español. Chloé ha marcado todos los errores de su amigo. ¿Puedes corregirlos?

Chloé: ¡Hola, Guillaume!
Guillaume: ¡Hola, Chloé! ¿Cómo <u>está</u>?
Chloé: ¡Bien! ¿Y tú, cómo estás?
Guillaume: Yo muy bien. Ahora mismo <u>soy</u> en una cafetería. <u>Estoy beber</u> un capuchino. Y tú, ¿dónde <u>eres</u>?
Chloé: Yo estoy en casa. Estoy pensando en ir a dar un paseo, porque hace sol y no hace mucho frío.
Guillaume: Aquí <u>es</u> frío. Antes <u>ha llover</u> mucho. Creo que esta tarde va a salir el sol. ¿Tú qué vas a hacer esta tarde?
Chloé: Voy a ir a la biblioteca de la universidad.
Guillaume: ¿Cómo es la Universidad de Salamanca?
Chloé: Es preciosa, muy grande y muy antigua. ¡Tienes que venir a verla!
Guillaume: ¡Sí! Es una universidad <u>mucho</u> famosa.
Chloé: Guillaume, voy a salir un rato, ¿de acuerdo?
Guillaume: ¡Claro! Hablamos pronto.

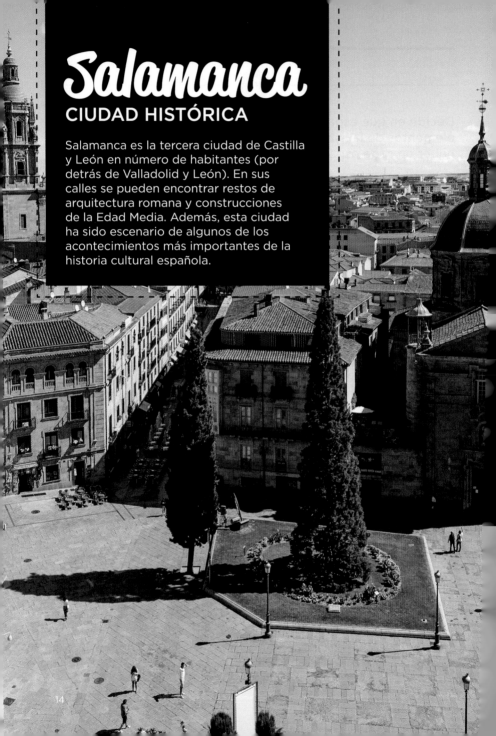

Salamanca
CIUDAD HISTÓRICA

Salamanca es la tercera ciudad de Castilla y León en número de habitantes (por detrás de Valladolid y León). En sus calles se pueden encontrar restos de arquitectura romana y construcciones de la Edad Media. Además, esta ciudad ha sido escenario de algunos de los acontecimientos más importantes de la historia cultural española.

APUNTES
CULTURALES

La ciudad tiene un importante casco histórico.
Son muy famosos sus edificios religiosos, como
la Catedral Nueva y la Catedral Vieja o La Clerecía,
y algunos de sus edificios universitarios, como
la Universidad de Salamanca. También son famosos
algunos de sus palacios, como el Palacio de Monterrey
o la Casa de las Conchas.

Fray Luis de León hace en Salamanca la primera traducción al español de la *Biblia*, concretamente del libro *Cantar de los Cantares*.

En el s. xv estudian en Salamanca las que, probablemente, son las primeras universitarias del mundo: Beatriz Galindo y la primera profesora universitaria, Lucía de Medrano.

Cristóbal Colón llega a Salamanca en 1486 para exponer su proyecto de viajar a las Indias ante los geógrafos de la Universidad. Durante su estancia en la ciudad se aloja en el convento de San Esteban.

Diccionario visual Capítulo 2

Barra

Guitarra

Banco

Mandolin

Capa

Caja

Bandurria

Pandereta

Zumo de naranja

Cerveza

Laúd

Periódico

Espejo

Mochila

CAPÍTULO 2

Casi una hora después de salir de la biblioteca de la universidad, Chloé entra en un bar que hay cerca de la catedral. Se acerca a la barra y le dice al camarero:

—Un zumo de naranja, por favor.

—Marchando[1] —responde el camarero—. Ahora te lo pongo.

—Gracias.

Se sienta en una mesa junto a una ventana y mira a la calle. Finalmente, ha empezado a llover, por eso ha decidido entrar en algún bar. Dentro del bar hay cuatro personas más: en una mesa, al lado de la puerta de los servicios, hay una señora mayor, es bajita y va vestida de negro. Lleva gafas, y tiene el pelo blanco. Está leyendo el periódico y tomando un café. En la barra, dos señores de unos cuarenta años están hablando de fútbol. Hablan a gritos[2], parecen nerviosos. El fútbol es un tema del que casi todo el mundo habla en España. Chloé cree entender que uno es del Real Madrid y el otro, del Atlético de Madrid. Una chica de unos treinta años está sentada en una mesa que hay al lado de la mesa de Chloé. Está escribiendo algo en su teléfono. Quizás está hablando con su pareja, porque tiene una gran sonrisa[3] en la cara. El camarero le lleva el zumo de naranja a Chloé, que, después de beber un poco, abre el libro de Miguel de Unamuno.

Media hora después, un fuerte ruido[4] interrumpe[5] su lectura. La puerta del bar se ha abierto y por ella ha entrado un grupo de chicos jóvenes vestidos con una ropa un poco extraña: llevan unas capas negras, y una banda[6] de color rojo. Llevan instrumentos y van cantando canciones que Chloé no ha oído nunca. Gritan mucho y ríen sin parar. Son cinco chicos en total y uno de ellos, que lleva una guitarra en la mano, le dice al camarero:

—¡Unas cervezas para la tuna de Magisterio!

—Vale, yo os pongo las cervezas, pero no quiero música. Por favor, ahora no es buen momento —dice el camarero.

—¡Siempre es buen momento para la música! —responde el chico.

El chico de la guitarra les dice a sus amigos:

—¡Vamos, chicos!

Y, en ese momento, todos empiezan a tocar sus instrumentos: uno toca la guitarra; otro toca la bandurria; otro, el laúd; otro, la pandereta; y otro, la mandolina. La música es alegre y los chicos ríen mientras cantan. Chloé no entiende qué está ocurriendo. ¿Quiénes son esos chicos? ¿Qué es una tuna? ¿Por qué cantan?

El chico de la guitarra mira a Chloé y piensa que es una chica muy bonita y que quiere dedicarle una canción, pero en ese momento ella cierra el libro, va hasta la barra y paga su zumo.

—¡Guapa! —le dice el chico de la guitarra a Chloé.

Ella lo mira y piensa que lleva una ropa muy rara. El chico sonríe y la mira fijamente[7]. Chloé se pone roja[8] y sale rápido del bar.

En la calle, ha dejado de llover. Chloé se aleja[9] de allí.

Dentro del bar, delante de la puerta de entrada, el chico de la guitarra ve un cuaderno rojo que se le ha caído a la chica. Lo coge, sale del bar y mira a un lado y a otro de la calle, pero no ve a la chica por ningún lado.

Un rato más tarde Chloé está en un supermercado. Tiene que comprar leche y algo de comida. Su idea es quedarse en casa el resto del día porque quiere terminar el libro hoy. Es un libro de pocas páginas y es muy entretenido[10], por eso piensa que puede leerlo en un día. En uno de los pasillos del supermercado, se encuentra con el chico y la chica de la universidad que ha visto antes desde su balcón. Están hablando del trabajo[11] sobre Miguel de Unamuno que un profesor les ha pedido. Chloé piensa en saludarlos y decirles que está leyendo *Niebla*. Quiere saber su opinión de la novela[12].

El chico reconoce a Chloé y la saluda. Chloé saluda con la mano, pero no sabe qué decir, por eso decide ir a la caja a pagar su compra y salir del supermercado sin decir nada.

El chico de la guitarra con la ropa rara está sentado en un banco de una calle del casco antiguo[13] de la ciudad. Está solo, ha dejado a sus amigos cantando en algún bar. Lee otra vez la página escrita en ese diario de color rojo. Ha leído esa página seis veces ya, pero todavía no ha podido reconocer la plaza de la que habla: ¿una iglesia? ¿Una terraza de un bar? Salamanca está llena de iglesias y de terrazas.

Intenta recordar los momentos que ha vivido en esa ciudad. Hace solo un mes que ha llegado y no la conoce muy bien. Una imagen aparece en su mente: una noche con los compañeros de la tuna en una plaza y una iglesia iluminada por una luz amarilla.

Ya en el piso, de nuevo sola, Chloé prepara un café con leche, se sienta en el sofá y vuelve a abrir *Niebla*. No puede parar de pensar en los extraños chicos de las capas negras y en la música del bar y piensa que necesita cambiar de actitud: si quiere hacer amigos, no puede ser tan tímida.

Decide poner algo de música. A Chloé le gustan muchos grupos de música españoles. Entiende las letras[14] de casi todas las canciones, aunque a veces no sabe qué significan algunas palabras. Poco a poco la atención de Chloé está más en la música que en la novela. Deja el libro en la mesa del salón y empieza a bailar por toda la casa. Fuera ya no hay nubes. El sol ha salido y Chloé se siente más y más contenta.

—¡Ole, ole y ole! —grita alguien desde el exterior.

Chloé se detiene y mira por la ventana. En el edificio de enfrente, mirando por el balcón, están el chico y la chica que ha saludado antes en el supermercado. ¡La han visto bailar y se están riendo! ¡Tierra, trágame![15], piensa Chloé. Para la música, sale del salón y se esconde[16] en su habitación.

Música

En España hay muchos artistas y grupos de pop independiente. Durante las dos primeras décadas del siglo xxi, algunos de los grupos con más seguidores han sido Los Planetas, The Sunday Drivers, Vetusta Morla, Lori Meyers, Dorian, Sidonie, Standstill o Supersubmarina.

A la una de la tarde el sol ilumina toda Salamanca. Es un momento perfecto para dar un paseo, pero Chloé está en su habitación, conectada a internet. No hay ningún amigo conectado y no puede hablar con nadie. Ha intentado leer, pero no puede concentrarse. Además, hay muchas palabras y expresiones en la novela que no entiende. Las explicaciones de los diccionarios no son suficientes y sabe que necesita la explicación de una persona. Sabe que ahí sola, en su habitación, no va a encontrar a nadie para ayudarla.

Sale de la habitación y entra en el lavabo. Se mira en el espejo: mira su cara blanca y piensa que necesita tomar el sol. Mira sus ojos tristes y piensa que necesita respirar el aire de la calle. Respira profundamente[17]. Sonríe y le dice a su reflejo:

—Hola, me llamo Chloé, ¿y tú?

Piensa que su sonrisa no es muy natural. Piensa que tiene que practicar un poco más.

—Hola, me llamo Chloé. ¿Tú cómo te llamas?

La facultad de Filología

La facultad de Filología de la Universidad de Salamanca se encuentra en el Palacio de Anaya. Un edificio neoclásico del s. XVII en el casco antiguo de la ciudad, en la misma plaza que la catedral.

Se pone las manos en la cara y piensa que tiene veinte años, pero que en ese momento parece que tiene doce...

Lo intenta otra vez.

—Hola, me llamo Chloé, ¿y tú?

Chloé suspira[18]. Sale del lavabo y va al salón. Mira por la ventana y ve el cielo azul. Después, mete la novela de Unamuno en la mochila y sale de casa en dirección a su preciosa facultad.

ACTIVIDADES
CAPÍTULO 2

1

Escucha esta canción del grupo Lori Meyers en internet y completa los huecos con las etiquetas que aparecen en la página de la derecha.

ALTA FIDELIDAD

Cada mes se pregunta si hay
  un después,
se preocupa de lavarse sólo
  una vez

Se ha dejado su tarjeta
  de presentación,
estará orgulloso, solo anclado
  en el sillón,

Todo esto es culpa de la gente...

Sólo ve telebasura y compra
  el corazón,
siempre se hace el caradura
  en cuanto hay ocasión

Solo así obtiene el premio
  de consolación
y los lunes se levanta a partir
  de las dos

Todo esto es culpa de la gente,

Todo esto es culpa de la gente...

No le cogen el teléfono
  ninguna vez,

No le cogen el teléfono
  ninguna vez,

Todo esto es culpa de la gente,

Todo esto es culpa de la gente...

vencedor, vencedor, vencedor...	sin razón, sin razón, sin razón.
con el sol, qué calor, qué calor...	al mes, al mes, al mes...

llamarán, llamarán, llamarán después. (x2)

¿por qué te hace sentir tan diferente? (x2)

Subraya las palabras o expresiones de la canción que no conoces y busca su significado.

Consulta **rae.es**, **wordreference.com** u otras herramientas online para encontrar el significado de las palabras que no conoces.

¿Qué sabes de Chloé? Mira la foto y recuerda lo que has leído. Luego, descríbela con los elementos adecuados de estas dos listas.

Chloé es...
rubia
morena
pelirroja
francesa
abierta
tímida
española
estudiante
profesora
joven

Chloé tiene...
el pelo largo
el pelo corto
treinta años
veinte años
el pelo rubio
el pelo moreno
muchos amigos en Salamanca

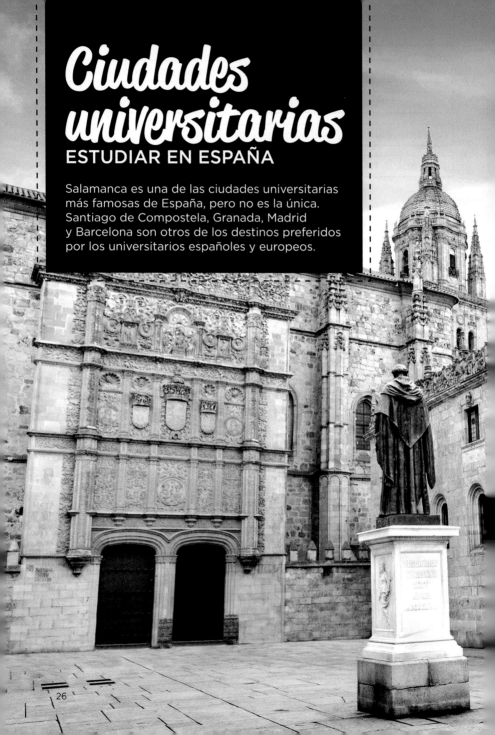

Ciudades universitarias

ESTUDIAR EN ESPAÑA

Salamanca es una de las ciudades universitarias
más famosas de España, pero no es la única.
Santiago de Compostela, Granada, Madrid
y Barcelona son otros de los destinos preferidos
por los universitarios españoles y europeos.

APUNTES
CULTURALES

En Salamanca, los estudiantes encuentran la universidad más antigua del país.
Se dice que esta ciudad es la cuna del español, por eso es un destino muy atractivo para todos aquellos estudiantes que quieren especializarse en la lengua y la literatura españolas.

Santiago de Compostela es una ciudad pequeña ubicada en Galicia, en el norte del país. Es famosa entre los universitarios la vida nocturna en las calles del casco antiguo que rodean la catedral.

Granada, en Andalucía, es el destino más popular de la beca Erasmus en toda Europa. Cada año, más de ochenta mil estudiantes van a esta ciudad atraídos por la mezcla de culturas y por su famosa escena cultural *underground*.

Madrid es también un destino popular entre los universitarios. Uno de los motivos es la gran variedad de centros universitarios que ofrece: un total de 14 (entre centros públicos y centros privados).

Diccionario
visual Capítulo 3

Caña

Focos

Hombro

Croquetas

Cuaderno

Pincho
de tortilla

Tapas

Mano

CAPÍTULO 3

Desde el piso de Chloé hasta su facultad hay un paseo[1] de unos quince minutos. Por el camino, pasa por delante de la Casa de las Conchas y la Iglesia de la Clerecía. Todavía no ha visitado ninguno de estos lugares. En realidad, Chloé piensa más en su antigua vida en Lyon que en su nueva vida en Salamanca: se acuerda[2] de sus amigos y su familia y de algunos lugares de su ciudad; aquí en Salamanca no se relaciona con nadie y no sabe nada sobre sus monumentos[3] y edificios. Chloé llega a su facultad preparada para cambiar esa situación.

En la biblioteca, la chica morena y bajita de los ojos azules está leyendo otro libro de Unamuno en la misma mesa. Chloé sonríe cuando la ve y va hacia ella.

—Hola, me llamo Chloé, ¿y tú?

La chica de los ojos azules mira a Chloé y deja el libro en la mesa.

La Casa de las Conchas

Este palacio gótico del s. XVI debe la decoración de su fachada al símbolo de la familia Pimentel, los primeros propietarios del edificio. Usada como cárcel de la Universidad durante muchos años, ahora es una de las muchas bibliotecas públicas de la ciudad.

—Hola, yo me llamo Alicia.

—¿Me puedes ayudar? Hay algunas palabras que no entiendo en este libro —dice Chloé. Le enseña *Niebla* a Alicia.

—Claro, dime.

—¡¡¡Ssssssshhhhhhhh!!! —protesta alguien desde otra mesa de la biblioteca para pedir silencio[4].

Alicia baja la voz[5] y dice:

—Oye, vamos a otro sitio. Aquí no se puede hablar.

El chico de la guitarra llega a la plaza donde está la iglesia de San Marcos. Se acerca a la iglesia y la observa con atención. Hay unos focos de luz en su base. Se acerca a un camarero de una terraza de la plaza y le pregunta:

—¿De qué color es la luz de estos focos?

—Amarilla.

El chico de la guitarra mira a su alrededor y piensa que una de las ventanas de los edificios de allí es la del piso de la chica del diario rojo. Mira a todas las ventanas, buscándola, sin prestar atención a lo que tiene delante. Una mano le toca el hombro. Se gira y ve a Juanma y a Esther, dos amigos de la universidad.

—¿Qué haces, Tala? —pregunta Juanma.

—Estoy buscando a una chica —responde el Tala.

—¿A quién? —pregunta Esther.

—A una chica que he visto en un bar. Se ha ido cuando le he hablado. Ha perdido esto en el bar. Es su diario.

—¿Lo has leído?

—¡Por supuesto[6]! Pero no ha escrito mucho. Por lo que he leído, creo que vive por aquí.

—¿Cómo es la chica? —pregunta Juanma.

—Es muy guapa. Tiene la piel muy blanca y los ojos claros. Tiene el pelo rubio y lleva una ropa bastante formal, no parece de aquí. Creo que es una estudiante erasmus.

—¿Una erasmus que vive por aquí? ¡Quizás es la chica del supermercado! La que hemos visto bailando en su piso —dice Esther.

—¿Bailando? —pregunta el Tala.

—Sí, una chica un poco rara... —dice Juanma.

—Tiene que ser ella —dice el Tala— . ¡Ella baila y yo toco la guitarra! ¡Tiene que ser ella!

—Eso que dices no tiene sentido —dice Juanma.

—¿Y desde cuándo el romanticismo tiene sentido? —grita el Tala— ¡El romanticismo es caótico[7]! Y mi intuición[8] dice que estamos hablando de la misma chica. ¡En el diario dice que no quiere bailar sola! ¿Dónde puedo encontrarla?

Un rato después, Chloé y Alicia están sentadas en una mesa de la cafetería de la facultad. Encima de la mesa está el libro de Unamuno y un cuaderno en el que Chloé toma notas. Alicia le explica a Chloé el significado de algunas expresiones que aparecen en la novela.

—¿Para qué estás leyendo este libro? —pregunta Alicia.

—Para una asignatura: Literatura del Siglo XX.

—¿Vas a las clases del profesor González? ¡Yo también!

—¿De verdad? Lo siento, pero no recuerdo tu cara —dice Chloé.

—Tranquila, somos muchos estudiantes. ¿Cuánto tiempo hace que estás en Salamanca?

—Dos semanas. Todavía no conozco casi nada de la ciudad.

—¿Por qué has venido a Salamanca?

—Porque quiero perfeccionar mi español. Hablo muy mal el español —dice Chloé.

—¡Eso no es verdad! Hablas muy bien. Y no es un piropo[9].

—¿Un piropo?

—Un piropo es una palabra bonita hacia otra persona. A veces es verdad y a veces es mentira. Como cuando le dices "guapo" a un chico que es feo para hacerlo feliz. ¿Entiendes?

—Sí. Es una palabra nueva para mí.

—¡Este año vas a aprender muchas palabras nuevas!

Las dos chicas se ríen. Durante un rato, charlan[10] sobre la universidad. Alicia le dice a Chloé qué profesores son los mejores, cuáles son los más divertidos y qué asignaturas son las más aburridas (para irse al bar...). Chloé le explica a Alicia cómo es Lyon y su vida allí.

El teléfono de Alicia suena. Le ha llegado un mensaje.

—¿Tienes hambre[11]? ¿Quieres comer? Me ha escrito Juanma, un amigo de la universidad. Dice que está en un bar de la Rúa Mayor. Es un bar con buenas tapas y nosotros vamos mucho. Él también estudia Literatura, quizás lo conoces —dice Alicia.

—No conozco a nadie, Alicia —dice Chloé.

—Pues ahora lo vas a conocer, ¿de acuerdo?

—¡De acuerdo!

De camino al bar Chloé se imagina en la noche universitaria, de bar en bar, tomando cervezas y riendo, con muchos amigos. Siente una extraña alegría... "Te estás emocionando[12] demasiado, Chloé. ¡Tranquilízate! Respira, respira.", se dice a sí misma.

El bar es bastante pequeño. Tiene muchas fotos de la ciudad de Salamanca en las paredes y algunos jamones colgados[13] encima de la barra. Cuando llegan a la entrada del bar, Alicia le dice a Chloé que es un bar muy "castizo".

—¿Castizo? —pregunta Chloé.

—Significa que es muy típico de aquí —responde Alicia.

Entran en el bar, que está lleno de gente, y llegan hasta la barra. Alicia le pregunta a Chloé.

—¿Te gusta la cerveza?

—Sí —responde Chloé.

—¿Has probado alguna vez la comida de aquí?

—No.

Alicia se acerca a la barra y le dice al camarero:

—Tomás, ponme dos cañas, dos pinchos de tortilla y unas croquetas, por favor.

—¡Marchando! —dice el camarero.

—¡Alicia! —grita alguien, entre toda la gente que hay en el bar.

Los jamones colgados

En algunos bares españoles podemos ver jamones colgados sobre la barra o en alguna pared, de esta manera los jamones pierden humedad y eliminan grasa. Esta es una práctica que sorprende a muchos extranjeros.

Alicia y Chloé miran en esa dirección. Viene de una mesa que está al fondo del local. Se acercan hasta la mesa y, en ese momento, ocurre algo terrible para Chloé. ¡Los amigos de Alicia son los vecinos[14] de Chloé que la han visto bailar!

"¡Oh, no! Ellos no van a querer ser mis amigos. Me han visto hacer el ridículo[15]. Por favor, ¡no! ¡Qué vergüenza[16]!", piensa Chloé. "¡Respira, Chloé, respira! ¡Tranquila!".

—Os presento a Chloé, viene a nuestra facultad —dice Alicia.

—La conocemos. ¡Es una chica con mucho ritmo[17]! —dice el chico.

—¿Qué? —pregunta Alicia.

—Vive enfrente de nuestro piso. Antes la hemos visto bailando en su casa.

Los tres españoles se ríen. Chloé quiere irse de ese bar ahora mismo. Pero entonces, en ese momento, la amiga de Alicia dice algo:

—¡La próxima vez nos invitas[18] a bailar contigo!

Todos ríen. Chloé también.

—Bailas muy bien, Chloé —dice el chico sonriendo—. Yo me llamo Juanma. Encantado.

—Y yo me llamo Esther —dice la chica.

Chloé tiene la cara roja por la vergüenza y solo puede decir:

—Hola, me llamo Chloé. Encantada.

ACTIVIDADES
CAPÍTULO 3

1

Aquí tienes la receta de la tortilla de patata que prueba Chloé. El problema es que está desordenada. Ordénala.

Ingredientes

4 o 5 patatas grandes .... 4 o 5 huevos ....

aceite de oliva virgen .... sal ....

☐ Cuando el otro lado de la tortilla también está cocinado, se saca la tortilla de la sartén y se pone en un plato.

☐ Cuando el lado inferior de la tortilla está cocinado, se da la vuelta a la tortilla con ayuda de un plato.

☐ Primero, se pelan las patatas, se cortan en pequeños trozos y se fríen durante unos veinte minutos con mucho aceite de oliva.

☐ La mezcla se pone otra vez en la sartén con un poquito de aceite y se cocina un lado de la tortilla.

☐ En un bol se baten los huevos con un poco de sal, se añaden las patatas fritas y se mezcla todo bien.

2

¿Conoces algún plato fácil de hacer? Escribe la receta.

Receta de --

Ingredientes -------------------- --------------------

-------------------- --------------------

-------------------- --------------------

-------------------- --------------------

Las tapas

GASTRONOMÍA
Y CULTURA

Si hablamos de la gastronomía española,
no podemos olvidarnos de las tapas. La
cultura del tapeo está extendida por todo
el país, aunque es más típico en unos
lugares que en otros y el tipo de tapas
puede cambiar dependiendo de la zona.

APUNTES
CULTURALES

Hay distintas teorías sobre el origen de las tapas. Una de las más extendidas es que antiguamente se usaba una rebanada de pan o una loncha de jamón para tapar el vaso o la copa de vino. De esta manera no entraban moscas.

Las tapas son pequeñas porciones de comida que se sirven en los bares españoles para acompañar una bebida. Normalmente se toman con una caña, un vaso de vino o un mosto.

Algunas de las tapas más famosas son las patatas bravas (patatas fritas con una salsa picante), el pincho de tortilla, los chipirones (calamares pequeños fritos), los pimientos de padrón o las aceitunas.

Ir de tapas o *tapear* es una costumbre española que propicia el encuentro y la socialización, por eso es importante culturalmente. Se suele tapear a mediodía y por la noche (entre las 20 y 23 h, aproximadamente).

Diccionario visual Capítulo 4

Móvil

Portátil

Plato

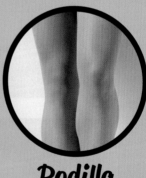

Rodilla

Timbre

Mesita
de noche

Portal

Corazón

CAPÍTULO 4

El Tala no es un chico muy normal. Es como un romántico de las novelas del siglo XIX, que escribe canciones y poesías[1] sobre sus amores y que rechaza[2] todo lo que es moderno. Por eso nunca lleva el móvil y casi no usa el portátil que tiene.

El móvil del Tala está sobre la mesita de noche de su habitación. Recibe una llamada y el teléfono vibra[3] y vibra hasta que cae al suelo.

Mientras Juanma intenta contactar con el Tala para decirle que acaba de conocer a la chica que está buscando, el Tala está delante del portal de Chloé. No sabe cuándo va a poder verla, hace una hora que está ahí y la verdad es que está un poco cansado de esperar.

Los platos ya están vacíos[4] sobre la mesa. Chloé, Alicia y Esther están hablando sobre la universidad, sobre literatura y sobre la ciudad de Salamanca.

Erasmus

Salamanca es el séptimo destino Erasmus en toda Europa y una de las ciudades españolas que más turismo idiomático recibe. Unos 20 000 estudiantes de español de unas ochenta nacionalidades diferentes visitan cada año la ciudad. Por eso la noche se vive con especial intensidad en Salamanca.

—Esta es una ciudad con mucha historia, como ya has visto. Ha sido declarada Patrimonio de la Humanidad[5] —dice Alicia.

—Nuestra universidad es la más antigua del país. De hecho, Salamanca es conocida en toda España por ser una ciudad universitaria. Muchos estudiantes de español de muchos países del mundo vienen a estudiar aquí por las mismas razones que tú —dice Esther—. Por eso es una ciudad con mucha vida. ¿No has salido por la noche a tomar algo[6]?

—No, todavía no —dice Chloé.

—¿No? —dice Esther— ¡Pues eso va a cambiar esta misma noche! Chloé sonríe.

—¿Voy a poder practicar español?

—Chloé, cariño[7], en esta ciudad vas a encontrar a mucha gente para hablar español —dice Alicia.

—Cerca de la plaza Mayor hay bares muy chulos[8]. Luego vamos y tomamos algo, ¿de acuerdo? —dice Esther.

La plaza Mayor

La plaza Mayor de Salamanca es el centro de la vida de la ciudad y un punto de encuentro habitual de sus habitantes. En ella se encuentran innumerables bares y terrazas, además de la cafetería más antigua de la ciudad.

Lo bueno del romanticismo es que puedes enamorarte[9] muchas veces. El Tala ha decidido que la chica del diario rojo no es tan importante como ese grupo de cinco estudiantes erasmus alemanas que ha pasado delante de él. Ha metido el diario de Chloé en un bolsillo de su traje y ha seguido[10] a las alemanas cantando canciones de amor. Ellas se han reído y le han dicho cosas en alemán que él no ha entendido, pero que le han parecido maravillosas.

Juanma vuelve junto a Chloé, Alicia y Esther. Ha estado haciendo una llamada telefónica fuera del bar. Terminan de comer y piden un café.

—Chloé —dice Juanma—, si un día necesitas algo, solo tienes que llamar a nuestro timbre o gritar por la ventana.

—¡Gracias! —dice Chloé.

—¿Qué canción es la que has bailado en tu casa antes?

—Es de un grupo español. No recuerdo el nombre. Me gusta la música independiente que se hace aquí.

—Hay muchas bandas de pop rock independiente, seguro que en Francia también —dice Esther.

—Sí, pero a mí me gusta escuchar las canciones en español. Para practicar, ya sabes —responde Chloé.

El camarero lleva los cafés a la mesa de Alicia y sus amigos.

—¡Gracias, Tomás! —dicen todos menos Chloé.

—Gracias, Tomás —dice Chloé después.

Justo en ese momento, fuera del bar, se oyen unas risas femeninas mientras una voz masculina les canta canciones típicas de la tuna.

—Esa voz... —dice Juanma.

—Es el Tala —dice Esther. En su cara se dibuja una gran sonrisa.

—¡Vamos! —dice Juanma.

Juanma se levanta de la mesa y sale corriendo del bar. Esther, Alicia y Chloé lo siguen. Chloé no entiende nada. Llegan a la calle y ven el traje de tuno del Tala.

—¡Tala! ¡Tala!

El Tala se detiene y se gira hacia Juanma y las chicas. En ese momento ve a Chloé y sus ojos se abren como platos[11].

—Eres tú… —dice el Tala, sin dejar de mirar a Chloé.

Chloé recuerda a ese chico. Es el chico de la guitarra que ha visto en otro bar por la mañana. El Tala pone una rodilla en el suelo y una mano al lado del corazón y dice:

—Señorita, a mí me llaman el Tala, pero cómo me llamo no es importante. Soy tuno y soy un romántico y desde ahora quiero ser su amigo, al menos para empezar. ¿Está usted de acuerdo?

—¿Sí? —dice Chloé, sin entender qué está pasando.

El Tala mira a Chloé, esperando algo más. Alicia, Esther y Juanma también tienen sus ojos clavados en ella[12]. Chloé entiende que hay algo más que tiene que decir para empezar esa nueva historia.

—Me llamo Chloé.

Ella sonríe y el Tala se levanta y se acerca. Saca de un bolsillo de su extraño traje el diario de Chloé. Ella se lleva las manos a la cara.

—¡Oh, no! ¿Ese es mi diario?

—Sí, aquí lo tienes. Espero ayudarte a escribir nuevas páginas en él.

FIN (o principio)

ACTIVIDADES
CAPÍTULO 4

1

Escribe cada pregunta en su lugar correspondiente.

¿Te gusta la música española?	¿Qué estudias?

¿Quieres ir a tomar algo?	¿De dónde eres?

– De Francia, de Lyon. ¿Y tú?

– Lengua y literatura españolas.

– ¡Vale!

– Sí, mucho.

2

Aquí tienes información de las dos ciudades de Chloé: Lyon, su ciudad natal, y Salamanca, la ciudad en la que vive. ¿Cuál es la información de cada ciudad? Puedes usar internet.

	Lyon	Salamanca
Hay un enorme parque con un zoo dentro de la ciudad.		
Tiene una de las universidades más antiguas de Europa.		
Hay mucha vida universitaria.		
Tiene un importante patrimonio histórico.		
Es una de las cuatro ciudades más grandes del país.		
Dos ríos pasan por ella.		
Su símbolo es un león.		

3

¿Qué palabras o expresiones de *Un día en Salamanca* quieres recordar? Escríbelas.

Festivales
MÚSICA EN ESPAÑA

Durante todo el año (sobre todo en los meses de verano) y por todo el país se celebran más de cien festivales de todo tipo de música: rock, pop, jazz, flamenco, electrónica... Estos son solo algunos de los festivales más importantes.

APUNTES
CULTURALES

Primavera Sound (Barcelona): se celebra desde el año 2001 y, desde entonces, se ha convertido, año tras año, en uno de los festivales imprescindibles en el panorama musical. Nuevas estrellas y viejas leyendas del rock, el pop y la música experimental se encuentran cada mes de mayo en los escenarios del Fòrum, cerca de la playa.

Arenal Sound (Castellón): en la playa del Arenal, a principios de agosto, puedes disfrutar de los directos de algunos de los nombres más importantes de la música indie, pop, rock y electrónica nacional e internacional.

FIB (Benicàssim): es, seguramente, el festival más emblemático. Se celebra a mediados de julio desde hace más de veinte años y por él han pasado algunos de los mejores grupos de rock, pop, indie y electrónica de la historia.

DCODE (Madrid): es el más joven de estos festivales y se celebra en septiembre en la Universidad Complutense de Madrid. Rock, electrónica, indie y pop para todos aquellos a los que les gusta bailar.

GLOSARIO

CAPÍTULO 1

CASTELLANO	INGLÉS	FRANCÉS	ALEMÁN	NEERLANDÉS
1. Cuna	Cradle	Berceau	Wiege	Bakermat
2. Edificio	Building	Édifice	Gebäude	Gebouw
3. Calle peatonal	Pedestrian street	Rue piétonnière	Fußgängerweg	Voetgangersstraat
4. Mejorar	Get better	Améliorer	Besser werden	Verbeteren
5. Tímido/-a	Shy	Timide	Schüchtern	Verlegen
6. Inseguro/-a	Insecure	Peu sûr/-e de soi	Unsicher	Onzeker
7. Zapatillas	Slippers	Pantoufles	Hausschuhe	Pantoffels
8. Reflejo	Reflection	Reflet	Widerschein	Weerspiegeling
9. Armario	Cupboard	Armoire	Schrank	Kast
10. Instalarse	Move into	S'installer	Einziehen	Zijn/haar intrek nemen
11. Saludar	Greet	Saluer	Begrüßen	Begroeten
12. Asignatura	Subject	Matière	Fach	Vak
13. Acercarse	Approach	S'approcher	Sich nähern	Gaan naar
14. Mostrador	Counter	Comptoir	Schalter	Balie
15. Bibliotecario/-a	Librarian	Bibliothécaire	Bibliothekar/in	Bibliotheekmedewerk(st)er
16. Pasillo	Corridor	Couloir	Gang	Gangpad
17. Girarse	Turn round	Se retourner	Sich umdrehen	Zich omdraaien

CAPÍTULO 2

CASTELLANO	INGLÉS	FRANCÉS	ALEMÁN	NEERLANDÉS
1. Marchando	Right away	Tout de suite	Kommt sofort	Komt eraan
2. Hablar a gritos	Shout	Hurler	Sich lautstark unterhalten	Luidkeels praten
3. Sonrisa	Smile	Sourire	Lächeln	Glimlach
4. Ruido	Noise	Bruit	Lärm	Lawaai
5. Interrumpir	Interrupt	Interrompre	Unterbrechen	Onderbreken
6. Banda	Band	Ruban	Band	Band
7. Fijamente	Stare	Fixement	Starr	Strak
8. Ponerse rojo	Blush	Rougir	Rot werden	Blozen
9. Alejarse	Drive away	S'éloigner	Sich entfernen	Zich verwijderen
10. Entretenido	Entertaining	Divertissant	Unterhaltsam	Onderhoudend
11. Trabajo	Project	Travail	Arbeit	Werk
12. Novela	Novel	Roman	Roman	Roman
13. Casco antiguo	Old Town	Centre historique	Altstadt	Oude centrum
14. Letra	Lyric	Paroles	Text	Tekst
15. ¡Tierra, trágame!	I want to die!	Me faire tout petit !	Ich würde am liebsten in den Erdboden versinken!	Ik kan wel door de grond zakken
16. Esconderse	Hide	Se cacher	Sich verstecken	Zich verstoppen
17. Respirar profundamente	Breathe deeply	Respirer profondément	tief einatmen	Diep ademen
18. Suspirar	Sigh	Soupirer	Seufzen	Zuchten

CAPÍTULO 3

CASTELLANO	INGLÉS	FRANCÉS	ALEMÁN	NEERLANDÉS
1. Paseo	Ride	Promenade	Promenade	Wandelweg
2. Acordarse de algo	Remember something	Se souvenir de quelque chose	Sich an etwas erinnern	Aan iets denken
3. Monumento	Monument	Monument	Monument	Monument
4. Silencio	Silence	Silence	Ruhe	Stilte
5. Bajar la voz	Lower the voice	Baisser la voix	Die Stimme senken	Zijn/haar stem dempen
6. Por supuesto	Of course	Évidemment	Natürlich	Uiteraard
7. Caótico/-a	Chaotic	Chaotique	Chaotisch	Chaotisch
8. Intuición	Intuition	Intuition	Intuition	Intuïtie
9. Piropo	Compliment	Compliment	Kompliment	Compliment
10. Charlar	Chat	Parler	Plaudern	Kletsen
11. Tener hambre	Be hungry	Avoir faim	Hunger haben	Honger hebben
12. Emocionarse	Get excited	S'émouvoir	Aufgeregt sein	Zich opwinden
13. Colgado/-a	Hanging	Accroché/ -e	Hängen	Hangend
14. Vecino/-a	Neighbour	Voisin/ -e	Nachbar/in	Buurman/buurvrouw
15. Hacer el ridículo	Make a fool of oneself	Faire le ridicule	Sich lächerlich machen	Een figuur slaan
16. Vergüenza	How embarrassing!	Honte	Peinlichkeit	Schaamte
17. Ritmo	Rhythm	Rythme	Rhythmus	Tempo
18. Invitar	Invite	Inviter	Einladen	Trakteren

CAPÍTULO 4

CASTELLANO	INGLÉS	FRANCÉS	ALEMÁN	NEERLANDÉS
1. Poesía	Poem	Poésie	Gedicht	Poëzie
2. Rechazar	Reject	Refuser	Ablehnen	Afwijzen
3. Vibrar	Vibrate	Vibrer	Vibrieren	Trillen
4. Vacío/-a	Empty	Vide	Leer	Leeg
5. Patrimonio de la Humanidad	World Heritage	Patrimoine de l'Humanité	Weltkulturerbe	Werelderfgoed
6. Tomar algo	Have a drink	Prendre un verre	Etwas trinken gehen	Wat drinken
7. Cariño	Darling	Chérie	Liebling	Lieverd
8. Chulo/-a	Nice	Chouette	Cool	Leuk
9. Enamorarse	Fall in love	Tomber amoureux	Sich verlieben	Verliefd worden
10. Seguir a alguien	Follow someone	Suivre quelqu'un	Jemandem folgen	Iemand volgen
11. Abrir los ojos como platos	Open one's eyes wide	Ouvrir des yeux grands comme des soucoupes	Große Augen machen	Enorme ogen opzetten
12. Tener los ojos clavados en alguien	Stare at someone	Avoir les yeux cloués sur quelqu'un	Jemanden anstarren	Naar iemand staren

Salamanca
CIUDAD HISTÓRICA
.... **p. 14-15**

Salamanca
HISTORIC CITY

Salamanca is the third largest city in Castilla y Leon in terms of population (after Valladolid and Leon). In its streets you can find remains of Roman architecture and medieval buildings. Moreover, this city has been the scene of some of the most important events in the cultural history of Spain.

The city has an important historical district. Its religious buildings, such as the New Cathedral, the Old Cathedral and La Clerecía, and some of the university buildings, including the University of Salamanca, are very famous. Some of its palaces, such as the Monterrey Palace and the Casa de las Conchas, are also famous.

Fray Luis de León made the first translation of the Bible into Spanish, specifically the book Song of Solomon, in Salamanca.

In the 15th century, the two women who were probably the world's first female university students studied in Salamanca: Beatriz Galindo and the first female university professor, Lucia Medrano.

Christopher Columbus came to Salamanca in 1486 to present his project to travel to India to the university geographers. During his time in the city he stayed at the Convent of San Esteban.

Salamanca
UNE VILLE HISTORIQUE

Salamanque est la troisième ville de Castille et León en termes de population (derrière Valladolid et León). Ses rues conservent des vestiges de l'architecture romaine et des bâtiments du Moyen Âge. En outre, cette ville a été le théâtre de certains des événements les plus importants de l'histoire culturelle de l'Espagne.

La ville possède un important quartier historique. Ses édifices religieux, comme la Cathédrale Nueva et la Cathédrale Vieja ou La Clerecía sont très célèbres, tout comme certains de ses bâtiments universitaires, dont l'Université de Salamanque. Tout aussi célèbres sont ses palais, tels que le Palais de Monterrey ou la Casa de las Conchas.

Fray Luis de León a réalisé à Salamanque la première traduction de la Bible en espagnol, concrètement le Cantique des Cantiques.

Au XVe siècle, celles qui sont sans doute les premières femmes universitaires au monde étudient à Salamanque : Beatriz Galindo et la première professeure d'université, Lucie Medrano.

Christophe Colomb arrive à Salamanque en 1486 pour présenter aux géographes de l'Université son projet de voyage aux Indes. Pendant son séjour dans la ville, il loge au couvent de San Esteban.

Salamanca
EINE HISTORISCHE STADT

Salamanca ist die einwohnermässig drittgrößte Stadt in Castilla y León (nach Valladolid und León). In ihren Straßen findet man Reste römischer Architektur und Bauwerke aus dem Mittelalter. Diese Stadt war Schauplatz vieler wichtiger historischer und kulturelle Ereignisse Spaniens.

Salamanca verfügt über ein wichtiges historisches Zentrum. Sehr berühmt sind ihre religiösen Bauwerke, wie die Catedral Nueva und die Catedral Vieja (oder Clerecía) und einige ihrer Unversitätsgebäude, wie die Universität von Salamanca. Auch berühmt sind einige der Paläste, wie der Palacio de Monterrey und die Casa de las Conchas.

Der Mönch Fray Luis de León verfertigte in Salamanca die erste Bibelübersetzung ins Spanische. Besonders hervorzuheben ist seine Version des Hohelieds Salomos.

In Salamanca konnten, so nimmt man an, im 15. Jahrhundert erstmals Frauen studieren: Beatriz Galindo und Lucía de Medrano, die erste Universitätsprofessorin.

Christoph Kolumbus kam 1486 nach Salamanca, um dort den Geographen der Universität sein Projekt für eine Indienreise vorzustellen. Während seines Aufenthalts in Salamanca logierte er im Konvent des Heiligen Stephanus.

Salamanca
STAD MET HISTORIE

Salamanca is de derde stad van Castilla y León qua inwonertal (na Valladolid en León). In de straten zijn resten van Romeinse architectuur en middeleeuwse gebouwen terug te vinden. Verder heeft in deze stad een aantal van de belangrijkste culturele gebeurtenissen van Spanje plaatsgevonden.

Het oude centrum van de stad is een bezoek meer dan waard. Beroemde religieuze gebouwen zijn de Nieuwe Kathedraal, de Oude Kathedraal en de Clerecía. Ook de universiteitsgebouwen in Salamanca zijn regelrechte blikvangers. In Salamanca staan ook beroemde paleizen zoals Monterrey en Casa de las Conchas.

Fray Luis de León maakt in Salamanca de eerste vertaling in het Spaans van de bijbel, Cantar de los Cantares genaamd.

Naar alle waarschijnlijkheid studeerden in Salamanca in de vijftiende eeuw de eerste vrouwen ter wereld: Beatriz Galindo en ook de eerste universitaire docent, Lucia de Medrano.

Columbus komt in 1486 in Salamanca aan om aan de geografen van de stad zijn plan uiteen te zetten om naar Zuid Amerika te varen. Tijdens zijn verblijf in de stad verblijft hij in het Convento de San Esteban.

Ciudades universitarias
ESTUDIAR EN ESPAÑA
.... p. 26-27

University cities
STUDYING IN SPAIN

Salamanca is one of the most famous university cities in Spain, but not the only one. Santiago de Compostela, Granada, Madrid and Barcelona are other favourite destinations for Spanish and European students.

In Salamanca, students find the country's oldest university. This city is said to be the birthplace of Spanish, so it is a very attractive destination for students who want to specialize in Spanish language and literature.

Santiago de Compostela is a small city in Galicia, in the north of Spain. The nightlife in the streets of the old town around the cathedral is famous among students.

Granada, in Andalusia, is the most popular destination in Europe for the Erasmus scholarship. Every year, more than 80,000 students go to the city attracted by the mix of cultures and its famous underground cultural scene.

Madrid is also a popular destination for students. One reason is the wide variety of colleges offered: a total of 14 (between public and private centres).

Villes universitaires
ÉTUDIER EN ESPAGNE

Salamanque est une des villes universitaires les plus célèbres d'Espagne, mais elle n'est pas la seule. Saint-Jacques-de-Compostelle, Grenade, Madrid et Barcelone sont les autres destinations préférées des universitaires espagnols et européens.

À Salamanque, les étudiants se trouvent dans la plus ancienne université du pays. On raconte que cette ville est le berceau de la langue espagnole, c'est pourquoi c'est une destination très attrayante pour les étudiants qui veulent se spécialiser en langue et littérature espagnoles.

Saint-Jacques-de-Compostelle est une petite ville de Galice, au nord du pays. La vie nocturne des rues du quartier historique autour de la cathédrale est bien connue par les universitaires.

Grenade, en Andalousie, est la destination la plus populaire de la bourse Erasmus de toute l'Europe. Chaque année, plus de 80 000 étudiants vont dans cette ville, attirés par le mélange de cultures et par sa célèbre scène culturelle underground.

Madrid est également une destination prisée par les universitaires. Une des raisons est la grande variété d'établissements universitaires offerts : 14 au total (entre établissements publics et privés).

Universitätsstädte
STUDIEREN IN SPANIEN

Salamanca ist eine der berühmtesten Universitätsstädte Spaniens, aber sie ist nicht die einzige. Santiago de Compostela, Granada, Madrid und Barcelona sind andere beliebte Ziele für Studenten aus Spanien und Europa.

In Salamanca finden sie die älteste Universität des Landes. Man sagt, Salamanca sei die Wiege der spanischen Sprache. Aus diesem Grund ist die Stadt ein Anziehungspunkt für alle diejenigen Studenten, die sich auf die spanische Sprache und Literatur spezialisieren wollen.

Santiago de Compostela ist eine kleine Stadt in Galizien, im Norden des Landes. Unter den Studenten ist ihr Nachtleben berühmt, das sich im historischen Zentrum rund um die Kathedrale abspielt.

Granada in Andalusien ist der europaweit beliebteste Zielort für die Erasmus-Studenten. Jedes Jahr kommen mehr als 80000 Studenten in diese Stadt, angezogen von der Mischung der Kulturen und ihre Underground-Kulturszene.

Madrid ist ein weiterer beliebter Zielort für Studenten. Einer der Gründe hierfür ist die große Auswahl an Studienzentren, von denen es insgesamt 14 gibt, sowohl private als auch öffentliche.

Universiteitssteden
IN SPANJE STUDEREN

Salamanca is een van de bekendste universiteitssteden van Spanje maar uiteraard niet de enige. Santiago de Compostela, Granada, Madrid y Barcelona zijn ook geliefde bestemmingen onder Spaanse en Europese studenten.

In Salamanca staat de oudste universiteit van het land. Er wordt wel gezegd dat deze stad aan de wieg ligt van het hedendaagse Spaans. Daarom is het ook een zeer geliefde stad voor studenten die zich willen specialiseren in de Spaanse taal en letterkunde.

Santiago de Compostela is een kleine stad in Gallicië, in het noorden van het land. Het roemruchte nachtleven van deze stad speelt zich af in de straten rondom de kathedraal.

Granada, in Andalusië, is de populairste bestemming voor Erasmusstudenten uit heel Europa. Ieder jaar gaan er meer dan 80000 studenten naar deze stad vanwege de mix van culturen en de vermaarde undergroundscene.

Madrid is ook erg populair onder studerenden. Een van de redenen is het grote aanbod aan universiteiten: Er zijn maar liefst 14 openbare en privé-instellingen.

Las tapas
GASTRONOMÍA Y CULTURA
.... p. 38-39

Tapas
CUISINE AND CULTURE

When we talk about Spanish cuisine, we cannot forget tapas. The tapas tradition is widespread throughout the country, although it is more typical in some places than others and the type of tapas can change depending on the place.

There are different theories about the origin of tapas. One of the most widespread is that once in the taverns people covered their wine glass with a slice of bread or a slice of ham to prevent flies or dust getting in (*tapas* means 'lids' or 'covers' in Spanish).

Tapas are small portions of food served in Spanish bars to accompany a drink. They are usually eaten with a beer, a glass of wine or grape juice.

Some of the most famous tapas are *patatas bravas* (fried potatoes with a spicy sauce), tortilla brochette, *chipirones* (fried small squid), padron peppers and olives.

Going out for tapas is a Spanish custom that facilitates interaction and socialization, so it has great cultural significance. The usual time for tapas is before lunch as an appetizer and from about 8 to 11 pm.

Les tapas
GASTRONOMIE ET CULTURE

Les tapas ne peuvent pas être oubliées quand on parle de la gastronomie espagnole. La tradition des tapas est très répandue dans tout le pays, même si elle est plus typique à certains endroits qu'à d'autres, et le type de tapas peut changer en fonction du lieu.

Il existe différentes théories sur l'origine de tapas. L'une des plus répandue est qu'autrefois, dans les tavernes, le verre de vin était couvert avec une tranche de pain ou une tranche de jambon pour éviter l'entrée de mouches ou de poussière.

Les tapas sont de petites portions de nourriture servies dans les bars espagnols pour accompagner une boisson. Habituellement, elles accompagnent une bière pression, un verre de vin ou de jus de raisin.

Certaines des plus célèbres tapas sont les *patatas bravas* (pommes de terre frites avec une sauce épicée), la brochette d'omelette, les *chipirones* (petits calmars frits), les poivrons du Padrón ou les olives.

Manger des tapas (*tapear*) est une habitude espagnole qui favorise la rencontre et la socialisation, d'où sa grande importance culturelle. L'heure des tapas est généralement entre l'apéritif et le déjeuner, puis de 20h00 à 11h00, environ.

Die Tapas
GASTRONOMIE UND KULTUR

Wenn man von der spanischen Gastronomie spricht, kann man die Tapas nicht vegessen. Der *Tapeo* (Tapas essen, oft von Bar zu Bar ziehend) ist Tradition in ganz Spanien, jedoch in einigen Orten mehr ausgeprägt als in anderen, und die Auswahl an Tapas ist örtlich verschieden.

Es gibt verschiedenen Theorien über den Ursprung der Tapas. Eine der am weitesten verbreiteten ist, dass man in alten Zeiten in den Tavernen das Weinglas mit einer Scheibe Brot oder Schinken abdeckte (abdecken=*tapar*), damit keine Fliegen oder Staub hineinkamen.

Die Tapas sind kleine Essensrationen, die in den spanischen Bars zur Begleitung des Getränks serviert werden. Sie werden normalerweise zu einem Glas Bier, Wein oder Most verzehrt.

Einige der bekanntesten Tapas sind die *Patatas bravas* (Bratkartoffeln mit pikanter Soße), Tortilla-Stückchen, *Chipirones* (kleine frittierte Kalamare), *Pimientos de padrón* (gebratene Paprikaschoten) und Oliven.

Der *Tapeo*, oder als Verb *tapear*, ist ein spanischer Brauch, der zur Geselligkeit und zum Austausch einlädt, und der deswegen von kulturelle Bedeutung ist. Der *Tapeo* kann als Aperitiv vor dem Mittagessen dienen, oder abends zwischen 8 und 11 Uhr stattfinden.

Tapas
GASTRONOMIE EN CULTUUR

Als de Spaanse gastronomie wordt aangestipt, moet er zeker aandacht besteed worden aan de tapas. Tapas worden door het hele land gegeten maar op de ene plek is het wel gebruikelijker dan op een andere plek. Sommige tapas vind je overal terug maar andere zijn echt streekgebonden.

Er bestaan meerdere theorieën over het ontstaan van de tapa. Een wijdverbreide theorie is dat men vroeger een glas wijn afdekte met een stuk brood of een plak ham want op die manier konden er geen vliegen of stof in komen. Tapa betekent namelijk ook deksel.

Tapas zijn kleine hoeveelheden eten die in Spaanse barretjes worden opgediend met een drankje. Normaal gesproken worden tapas genuttigd met een lekker fris tapbiertje, een glas wijn of most.

Beroemde tapas zijn de patatas bravas (gebakken aardappelen met een scherpe saus), pincho de tortilla (aardappelomelet), chipirones (gebakken inktvisjes), pimientos de padrón (paprikaatjes) en olijven.

Ir de tapas (tapas eten) is een sociaal gebeuren bij uitstek en is daarom cultureel gezien zo belangrijk. Tapas worden normaliter gegeten als aperitiefje vóór het eten en tussen ongeveer 8 en 11 uur 's avonds.

Festivales
MÚSICA EN ESPAÑA

Festivals
MUSIC IN SPAIN

Throughout the year (especially in the summer months) and all across the country more than 100 music festivals of all kinds are held: rock, pop, jazz, flamenco, electronic... These are just some of the major festivals.

Primavera Sound (Barcelona): Has been held since 2001 and, since then, year after year, has become one of the essential festivals in the music scene. New stars and old legends of rock, pop and electronic music meet every May on stage at the Forum, near the beach in Barcelona.

Arenal Sound (Castellón): On the Arenal beach, in early August, you can enjoy live performances by some of the biggest national and international names in indie, pop, rock and electronic music.

FIB (Benicàssim): Is probably the country's most emblematic festival. It has been held in mid-July for over 20 years and has hosted some of the best rock, pop, indie and electronic music groups in history.

DCODE (Madrid): Is the youngest of these festivals and is held in September at the Complutense University of Madrid. Rock, electronic, indie and pop music for all those who like to dance.

Festivals
MUSIQUE EN ESPAGNE

Tout au long de l'année (notamment aux mois d'été) et à travers tout le pays, plus de 100 festivals de toute sorte de musiques sont célébrés : rock, pop, jazz, flamenco, électronique... Voici quelques-uns des festivals les plus importants.

Primavera Sound (Barcelone) : il a lieu depuis 2001. Année après année, il est devenu un des festivals indispensables de la scène musicale. De nouvelles vedettes et de grandes légendes du rock, du pop et de la musique électronique se rencontrent chaque année en mai sur la scène du Fòrum, près de la plage à Barcelone.

Arenal Sound (Castellón) : sur la plage de l'Arenal, début août, vous pouvez profiter de spectacles en direct de certains des plus grands noms de la musique indie, pop, rock et électronique nationale et internationale.

FIB (Benicàssim) : il est certainement le festival le plus emblématique du pays. Il est célébré à la mi-juillet depuis plus de 20 ans et il a compté la participation de quelques-uns des meilleurs groupes de rock, pop, indie et électronique de l'histoire.

DCODE (Madrid) : le plus récent de ces festivals, il a lieu en septembre à l'Université Complutense de Madrid. Rock, électronique, indie et pop pour tous ceux qui aiment danser.

Festivals
MUSIK IN SPANIEN

Während des ganzen Jahres, aber vor allem in den Sommermonaten, werden im ganzen Land mehr als 100 Musikfestivals jeder Stilrichtung veranstaltet: Rock, Pop, Jazz, Flamenco, Elektronische Musik uvm. Hier sind einige der wichtigsten Festivals.

Primavera Sound (Barcelona): Es findet seit 2001 statt und hat sich seitdem zu einem der wichtigsten Musikfestivals entwickelt. Neue Stars und legendäre Figuren aus Rock, Pop und Elektronischer Musik spielen jeden Mai auf dem Fòrum von Barcelona, nahe des Strandes.

Arenal Sound (Castellón): Auf der Playa del Arenal kann man jedes Jahr Anfang August Live-Musik erleben, mit einigen der bedeutendsten nationalen und internationalen Künstlern aus der Indie, Pop, Rock oder Elektro-Szene.

FIB (Benicàssim): Das FIB ist sicherlich das herausragendste Festival des Landes. Es findet seit mehr als 20 Jahren mitten im Juli statt. Hier sind schon viele der weltbesten Gruppen aus Rock, Pop, Indie und Elektromusik aufgetreten.

DCODE (Madrid): Es ist das jüngste dieser Festivals und findet im September in der Universität Complutense von Madrid statt. Rock, Elektromusik, Indie und Pop für alle, die gerne tanzen.

Festivals
MUZIEK IN SPANJE

Het hele jaar door (vooral in de zomermaanden) worden in het hele land meer dan honderd muziekfestivals georganiseerd met allerlei soorten muziek: rock, pop, jazz, flamenco, elektronisch enz... Hieronder vind je een overzicht van de belangrijkste festivals.

Primavera Sound (Barcelona): Dit evenement vindt sinds 2001 plaats. Het is een van de festivals waar je een keer geweest moet zijn. In de maand mei komen aankomende sterren en oude glories uit de rock, pop en elektronische muziek samen op het terrein van het Fòrum aan het strand van Barcelona.

Arenal Sound (Castellón): Op het strand van Arenal kun je begin augustus genieten van optredens van bekende artiesten op het gebied van indie, rock en nationale en internationale elektronische muziek.

FIB (Benicàssim): dit is naar alle waarschijnlijkheid het bekendste festival van het land. Dit festival, dat sinds meer dan 20 jaar bestaat, vindt halverwege juli plaats. Intussen heeft er een aantal van de beste bands uit de muziekgeschiedenis gespeeld (rock, pop, indie en elektronische muziek).

DCODE (Madrid): Dit festival komt net om de hoek kijken maar is daarom niet minder interessant. Het vindt plaats in september op het terrein van de universiteit Universidad

Complutense in Madrid. Rock, elektronische
muziek, indie en pop mocht je van dansen
houden.

¡Comparte tus fotos y vídeos de la ciudad!

#undiaensalamanca

¿Quieres leer más?